SEOCAN

agus

CRAOBH

nam

FLAMAG

Dha Corin, Keelan agus Aiden – J.D.
Dha Susie Barrie – D.R.

A' chiad fhoillseachadh sa Bheurla le Leabhraichean Chloinne Macmillan,
earrann de Fhoillsichearan Macmillan Earranta
20 New Wharf Road, Lunnainn N1 9RR Basingstoke agus Oxford
Caidreabh chompanaidhean air feadh an t-saoghail
www.panmacmillan.com

© an teacsa Bheurla 2011 Julia Donaldson
© nan dealbhan 2011 David Roberts
© an teacsa Ghàidhlig 2013 Acair

Tha Julia Donaldson agus David Roberts a' dleasadh an còraichean a bhith air
an aithneachadh mar ùghdar agus neach-deilbh na h-obrach seo.

A' chiad fhoillseachadh sa Ghàidhlig 2013 le Acair Earranta
Acair Earranta, 7 Sràid Sheumais, Steòrnabhagh, Eilean Leòdhais HS1 2QN
info@acairbooks.com
www.acairbooks.com

An tionndadh Gàidhlig Tormod Caimbeul
An dealbhachadh sa Ghàidhlig Mairead Anna NicLeòid

Tha Acair a' faighinn taic bho Bhòrd na Gàidhlig.

Fhuair Urras Leabhraichean na h-Alba taic airgid bho Bhòrd na Gàidhlig
le foillseachadh nan leabhraichean Gàidhlig *Bookbug*.

Gheibhear clàr catalog CIP airson an leabhair seo ann an Leabharlann Bhreatainn.

Clò-bhuailte ann an Siona

LAGE/ISBN 978-0-86152-506-5

Sgrìobhte le
JULIA DONALDSON

Dealbhan le
DAVID ROBERTS

SEOCAN
agus
CRAOBH
nam
FLAMAG

A' Ghàidhlig
TORMOD CAIMBEUL

acair

Bha granaidh Sheocain gu math bochd anns an leabaidh,
Le spotan mòra purpaidh air a h-aodann 's a h-amhaich.

Thàinig an dotair is chrath e a cheann.
"Na grùbain a th' ann, mur eil mis' air mheallach.
Feumaidh tu meas craobh nam flamag, a bhalaich."
"Sin an aon rud," ars esan, "a ghlanas aodann do ghranaidh.
'S chan eil ann ach aon àit' sa bheil a' chraobh sin ri lorg:
'S e sin Eilean nam Flamag muigh sa chuan fad air falbh."

Uill, thog Seocan bàt' agus fhuair e sgioba –

Annag a' chùil deirg agus an t-Ìleach ud, Giobaidh.
'S thuirt Seocan an uair sin ri Giobaidh is Annag:
"Tha sinn deiseil gus falbh gu Eilean nam Flamag."

Thàinig an granaidh sìos chun a' chidhe le Seoc,
Agus dè thug i dha ach biast mhòr de phoc.
Poca-brèideach a bh' ann san robh dà spàin fhiodha,
Dusan bailiùn, spìcean teant' agus druma,
Seann ròpa-sgiobaigidh, neapraigean spotach,
Bobhla airson lit agus gum airson cagnadh.
Thuirt Seocan, "A ghranaidh, chan eil feum annta dhòmhs'."
"Stad thus' ort," ars ise, 's chuir i corrag ri sròin.

Agus sheòl iad air falbh, Seocan, Giobaidh is Annag
Mach dhan a' chuan gu Eilean nam Flamag.

"Siorcaichean!"
dh'èigh Annag.
"Na ceudan dhiubh!"
dh'èigh Giobaidh.

"Ithidh iad sinn!" dh'èigh an dithis, air chrith leis an eagal.

"Istibh!" arsa Seocan, "na bithibh troimh-a-chèile.
Seallaidh sinn dhan phoca-bhrèideach."

Dusan bailiùn! Le sèideadh is spàirn,
Leig iad air falbh iad gach taobh dhen a' bhàt'.
'S bha gach siorc air a dhòigh a' leum 's a' cur nan caran,
Le gleadhraich gu leòr mas deach iad à sealladh.

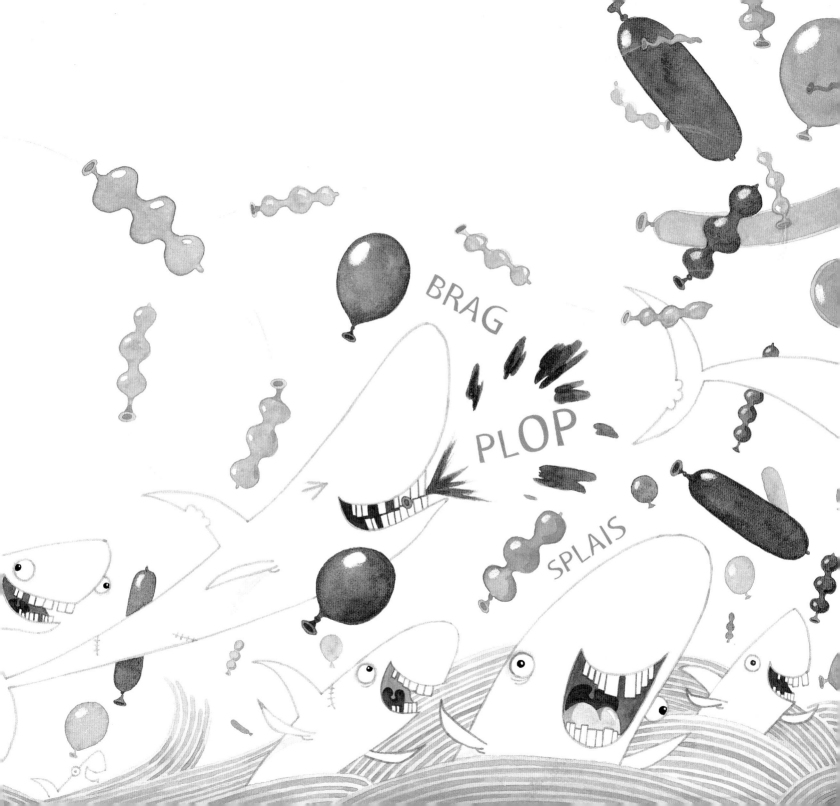

"An t-uisge!" dh'èigh Annag.
"Tighinn a-steach!" dh'èigh Giobaidh.
"Dè air an t-saoghal a nì sinn a-nise?"

"Istibh!" arsa Seocan, "na bithibh troimh-a-chèile.
Seallaidh sinn a-rithist dhan phoca-bhrèideach."

Fhuair iad an gum,
    làn math pacaid.
'S iad a bha toilichte
    ga stialladh 's ga chagnadh.

Stop iad an toll leis
a' cagnadh 's a' stialladh,

'S leis a' bhobhla-lit thilg iad
    an t-uisg' thar a cliathaich.

Bha am bàta a-nis dìonach
    is tioram
Agus sheòl iad gu dòigheil gu
    Eilean nam Flamag.

Ach...

"EEEE!!" dh'èigh Annag.

"AAAA!!" dh'èigh Giobaidh.

"Chan urrainn dhomh snàmh, thèid mo bhàthadh sa mhionaid!"

"Cha tèid na bloigh," arsa Seocan, "'s tusa nach tèid sin,
Bheir sinn sùil nar dithis sa phoca-bhrèideach."

Dè a fhuair iad an uair sin
ach an ròpa-sgiobaigidh –
's a' cumail grèim air a chèile
thilg iad gu Giobaidh e.

'S le othail is onghail
is èigheachd gu leòr,
fhuair iad air Giobaidh
a tharraing air bòrd.

Agus sheòl iad air falbh, Seocan, Giobaidh is Annag,
Tarsainn a' chuain gu Eilean nam Flamag.

"O chraobh nam flamag-ò," sheinn Seocan,
"Chraobh nam flamag, geug nam flamag,
Fàs gu snasail meadhan an eilein."

"Ach chan eil geug oirre!" dh'èigh Annag.
"Ciamar a gheibh sinn suas?" dh'èigh Giobaidh.

"Ist dà mhionaid," arsa Seocan,
"'S chì sinn dè a th' anns a' phoca."

"Spìcean teanta, nì sin an gnothaich,
Stob dhan chraoibh iad, suas mar ghobhar!"

Suas le Annag, aotrom, sgiobalt',
'S thill i le meas na craoibhe flamaig.

'S às dèidh sin rinn an
triùir ac' norrag,
An cois na tràghad air
Eilean nam Flamag.

Ach nuair a dhùisg iad às an suain:
"**Mèirleach!**" dh'èigh Annag.
"**Muncaidh!**" dh'èigh Giobaidh,
"Thug e meas na craoibhe uainn!"

"Istibh a-nis," arsa Seocan,
"Agus seallaidh sinn a bhroinn a' phoca."

Fhuair iad gu spàinean fiodha 's an druma,
h-abair bragadaich sa choille!

Thill am muncaidh — càil a b' fheàrr leis,
a bhith bragadaich le spàinean.
Leig e sìos meas na craoibhe
's thòisich e a' cluich 's a' dannsa.

Seocan, Giobaidh agus Annag
leig iad soraidh le Eilean nam Flamag.
'S le meas na craoibhe 's iad a
bha aoibhneach
a' seòladh gu dòigheil dhachaigh.

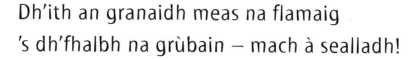

Dh'ith an granaidh meas na flamaig
's dh'fhalbh na grùbain — mach à sealladh!

'S thuirt Seocan:
"Tapadh leat, a ghranaidh 'son dà spàin fhiodha,
Dusan bailiùn, spìcean teant' agus druma,
Bobhla airson lit agus gum airson cagnadh,
Seann ròpa-sgiobaigidh, neapraigean spotach..."

"Trì neapraigean spotach,"
arsa Seocan,
"carson iadsan?"

"Ò, ghlaoic,
Cò leis a-rèist
A shèideas tu do shròin?"